# RECHERCHES SUR LES CAUSES

### DES

# DIFFORMITÉS DE LA TAILLE

### SUIVIES

## DES MOYENS DE LES PRÉVENIR ET DE LES CORRIGER

### Par F. VERRIER

#### DIRECTEUR DE L'ÉTABLISSEMENT KINÉSITHÉRAPIQUE

EN VENTE :

Chez l'Auteur, Rue Joubert, 33.

1862

# PRÉFACE

M. Royer-Collard, dans un discours prononcé à l'Académie de Médecine, a raconté les merveilles produites par un simple fermier qui entreprit de doter son pays d'une race d'animaux domestiques supérieure en bonté à ceux des autres contrées. Toutes les tentatives de Bakwel, à cet égard, furent couronnées de succès; et quand on songe que nous sommes maîtres de soumettre les forces vitales des animaux à de puissantes modifications qui en améliorent les produits, on s'étonne qu'on ne soit pas tenté plus souvent d'en faire à l'homme une application bien autrement importante.

L'incurie, à ce sujet, est en général portée plus loin qu'on ne pense, et loin d'améliorer physiquement la race, peut-être la laisse-t-on se dégrader?

Nous démontrerons, dans un autre ouvrage, combien les irrégularités dans le développement du corps peuvent faire naître de maladies. Qui ne concevra qu'un défaut de proportion entre la largeur du thorax et de son axe perpendiculaire met à la gêne les poumons, le cœur et l'arbre circulatoire? Cet état de choses constitue une prédisposition à la phthisie dont une bonne direction donnée à l'éducation de l'enfant peut l'affranchir.

Un accroissement trop rapide de la tige vertébrale peut donner lieu à des affections spasmodiques et convulsives lorsque la moelle de l'épine ne partage pas cette rapidité de développement.

Je cite les exemples au hasard ; nous pourrions les multiplier sans peine et dresser le long inventaire des maladies de l'enfance qui tiennent aux écarts du développement et à l'ignorance des lois qui doivent présider à l'éducation physique. Je ne vois pas cependant que le législateur se soit beaucoup inquiété de prendre à ce sujet les mesures nécessaires. Les règlements abondent pour cultiver les forces de l'intelligence, pour amener à l'entrée de la carrière des esprits bien préparés à l'étude des lois, des arts libéraux, de la science administrative et de toutes les autres conditions sociales. Quant aux forces physiques, elles deviennent ce qu'elles peuvent ; les chefs d'institution, ceux des établissements universitaires y pourvoient comme ils l'entendent. Que de motifs pour méditer cependant sur un pareil sujet ! et quelle gloire pour les hommes éminents qui ont pouvoir et autorité, s'ils parvenaient à donner à la France une race d'hommes robustes, infatigables, capables d'accomplir les travaux les plus rudes dans la paix et dans la guerre, et d'assurer à leur patrie le double empire de la force et du génie.

# CHAPITRE PREMIER.

## Lois de l'Hygiène appliquées aux grandes fonctions.

### Exercice musculaire.

Le corps humain est composé d'un grand nombre d'organes enchaî-nés les uns aux autres dans leur action; la santé et la force dépendent de la parfaite intégrité de chacun d'eux.

Comment apprendre à nos lecteurs l'usage qu'on doit faire dans le jeune âge de chaque système d'organe, pour en développer la puis-sance, pour ne pas l'altérer par un emploi immodéré ou par défaut d'action? il faudra pour cela entrer plus d'une fois dans quelques détails qui n'appartiennent qu'à la physiologie, c'est-à-dire à la science qui observe les phénomènes de la vie. Peut-on dire que des connaissances de cette nature sont inutiles à la plupart des hommes, lorsque le genre humain tout entier souffre sous le poids de misères, de maux dont il pourrait s'affranchir, mais qui continuent à peser sur lui en raison de l'ignorance des rapports de nos grandes fonctions avec les choses extérieures? Nos législateurs n'auraient-ils pas écrit d'une main plus sûre la loi qui autorise le travail des enfants dans les ateliers, dans les grandes manufactures, si les notions relatives au développement, à la croissance et aux diverses révolutions des facultés de la vie dans le jeune âge eussent été plus vulgairement connues? On a compris cependant qu'aucun enfant ne pouvait être employé aux travaux des manufactures avant l'âge de neuf ans. On a dû réduire le nombre d'heures pendant lesquelles ils étaient soumis à ce travail, et l'on a si bien compris l'influence des facultés de l'esprit sur l'organisme, qu'il a été ordonné qu'une instruction convenable serait de rigueur à l'égard des enfants consacrés aux travaux industriels. On en a fait une condition de leur admission dans les ateliers, et pour y satisfaire, on a diminué de beaucoup le temps que, dans le système précédent, on dévouait tout entier aux efforts dévorants et féconds de notre industrie impatiente et fiévreuse.

Loin d'élever des objections contre la limite plus étroite du temps consacré au travail par de jeunes enfants, il faut jeter les yeux sur la dégradation physique et morale qu'un système opposé infligeait à la jeune population de nos villes manufacturières. On aurait douté par les réflexions qu'elle inspire que huit heures de travail dans une atmosphère close ne soit encore au-dessus des forces et des moyens d'enfants qui ne sont pas développés.

Dans de semblables circonstances de grands intérêts pèsent dans la balance; les devoirs de la société, les exigences de la nature doivent être conciliés; la vie, la santé, le bonheur d'une multitude d'individus, la prospérité d'une contrée, sont en question; mais n'oublions pas que nos avis ne peuvent pas avoir cette haute portée, redescendons à une sphère plus humble, et dictons au père de famille, à une bonne mère qui élève elle-même ses enfants, aux maîtres si dévoués pour leurs élèves, ce que réclame d'eux la débile enfance qui croît en forces physiques et morales, sous la sauvegarde de leur tendresse, de leurs lumières et de leur autorité.

## Exercice du système musculaire.

Les muscles sont les organes du mouvement, c'est par eux que nous sommes capables d'accomplir les desseins, les résolutions, ou pour me servir d'un terme consacré, les diverses volitions de la pensée; mais au-dessus de ce grand objet, leur action contribue à l'exécution et au bien-être de toutes les autres fonctions du corps. Par elle le sang est excité à parcourir les vaisseaux jusque dans leurs rameaux les plus déliés, la digestion est rendue plus active, la respiration plus exercée dans le jeune âge; enfin la santé du corps tout entier en reçoit la plus heureuse influence. Il n'est donc pas inutile de tracer quelques principes propres à régler l'usage de l'action musculaire.

La vigueur et la force résultent nécessairement d'un système musculaire développé en énergie; or, c'est une loi de la nature, que tout muscle qui sera exercé croîtra en volume et deviendra capable de plus de force et de promptitude, tandis que d'une autre part la langueur et le repos altèrent le volume et le pouvoir du même organe. On voit déjà, par l'énonciation de cette loi, que la vigueur d'un enfant dépendra de l'usage qu'on aura fait de sa force dans la première éducation. Il faut comprendre aussi que le travail excessif, la longue réclusion dans l'intérieur des ateliers et des écoles, une diète insuffisante, un air vicié, arrêtent l'accroissement musculaire. Le sang appauvri par une nourriture trop peu substantielle ne répare point la perte que l'exercice occasionne, il ne stimule pas les organes; le sujet est en proie à la langueur, à la débilité, à l'épuisement du corps et de l'esprit, il faut donc dans le jeune âge tout-à-la-fois pourvoir à la réparation des pertes que fait le corps par l'exercice habituel des fonctions de la vie et satisfaire à l'accroissement qui en est la principale. Si ces moyens manquent à l'organisation, elle en reçoit un dommage qu'aucun traitement ne pourra réparer dans la suite. Si nous voulons un système musculaire fort, puissant, et avec lui toutes les conditions de santé qui en dérivent, il faut veiller à ce que les enfants soient convenablement nourris dans les pensions, et, en évitant tout · excès , ne point appliquer trop rigoureusement à l'enfance cette loi qui n'est pas faite pour elle et qui ordonne de dompter la sensualité et de faire régner la tempérance dans le repas. Pour faire bien comprendre l'importance du système musculaire sur l'organisation. tout entière; nous expliquerons à nos lecteurs que le plus petit de nos mouvements réclame l'intervention de trois ordres d'organes importants, d'abord le cerveau qui détermine la nature de ce mouvement, les nerfs qui transmettent aux muscles cette détermination de la pensée, enfin les muscles eux-mêmes qui l'exécutent. Par cette explication, nous intéresserons davantage ceux qui nous liront à l'influence bonne ou fâcheuse que l'organisation va ressentir de l'usage qu'on saura faire du système locomoteur; on comprendra mieux son action, ses effets, qui s'étendent à toutes les autres fonctions. L'immobilité, les mouvements renfermés dans des limites trop étroites ou la nécessité de se maintenir toujours dans une même position est une sorte de supplice auquel on condamne les jeunes enfants, les jeunes filles surtout, pendant les longues heures de leur éducation; de là dérive la cause de leur faiblesse, de leur mauvaise santé; débilités par le défaut d'exercice, les muscles deviennent incapables de maintenir dans une position normale les diverses pièces du squelette auxquelles ils s'attachent, l'édifice s'incline, s'affaisse sous son propre poids, et les incurvations de l'épine dorsale se dessinent peu à peu et augmentent avec la faiblesse et l'accroissement des sujets. C'est alors qu'on essaie d'enfermer le thorax dans des étuis de baleine, et qu'on veut obtenir par un moyen mécanique ce que la nature ne peut devoir qu'à la force musculaire; c'est là une seconde perte ajoutée à la première; l'immobilité à laquelle les muscles sont soumis par ces solides corsages accroît encore leur inertie, et les chances de difformité spinale deviennent permanentes. Dans les courts instants consacrés à la promenade, seul exercice possible sous l'espèce de cuirasse dont le thorax est recouvert, les membres inférieurs seuls sont en action, les muscles du tronc sont immobiles.

Quelle est la conséquence d'une telle conduite ? Débilité générale, incurvation irréparable de l'épine, digestion imparfaite, altération de toutes les fonctions de la vie, mauvaise santé; et, après cela, on s'étonne que les difformités de la taille et les maladies en général soient plus communes chez les jeunes filles, quand on a tout fait pour qu'il en soit ainsi !

Dans le régime des écoles, celui des jeunes filles surtout, on consacre trop peu de temps aux exercices du corps; souvent le seul qu'on permette n'est qu'une simple promenade, si toutefois le temps est favorable, dans les heures destinées à la récréation. Mettez en regard à côté de cela les longues heures appartenant à l'étude, et l'on verra comment un grand nombre de jeunes filles se courbent après un ou deux ans d'un régime aussi contraire au vœu de la nature. Les personnes qui gouvernent ces établissements ne méritent pas tout le blâme, la plupart d'entre elles sont très appliquées à remplir leurs devoirs; mais le vrai moyen de l'accomplir elles l'ignorent; elles repoussent les exercices gymnastiques comme des nouveautés dangereuses; et d'un autre côté, les parents veulent que leurs enfants consacrent la plupart des heures qui restent libres à leurs travaux sérieux, à des arts d'agrément, pour lesquels ils n'ont souvent ni goût, ni dispositions. On a recommandé les sièges sans dossier dans les écoles de jeunes filles, dans la pensée de les forcer à se tenir droites; c'est là encore une faute qui dérive de l'ignorance des lois de l'organisation. Il est évident que les muscles qui soutiennent le tronc sont ici dans un état de contraction et de relâchement nécessaire à l'accroissement de leur force; les muscles étant affaiblis par cette fatigue continuelle, le sujet s'incline insensiblement d'un côté et finit par contracter une incurvation de l'épine, par le moyen même qu'on employait pour l'éviter. Ce sont surtout les occupations trop sédentaires, qui se succèdent invariablement d'heure en heure dans les classes, qui rendent insupportables et nuisibles les siéges sans dossier; si les occupations étaient variées, interrompues ; si elles admettaient des mouvements et un changement de position, les siéges sans dossier seraient très propres à maintenir l'habitude d'une bonne tenue, d'une posture droite et élégante; mais on n'obtiendra pas de ce moyen de bons résultats, si les muscles sont fatigués par une longue contrainte et par l'immobilité trop longtemps continuée. L'agitation incessante que les écoliers éprouvent après la seconde ou troisième heure prouve en effet que la nature appelle un changement de position et un exercice salutaire ; la tranquillité qui suit quand ce délassement est accordé prouve aussi que le besoin venait plus de la fatigue du corps que de celle du cerveau même; c'est, au fait, un degré de ce qui nous arrive, quand nous nous tenons longtemps debout ou devant un pupitre : nous devenons fatigués par la contention des mêmes muscles, et alors la promenade, le mouvement, un changement quelconque nous récrée et nous repose. On éprouve le même sentiment de lassitude, après avoir assisté à un long spectacle qui force à demeurer longtemps assis dans la même situation.

## Combinaison de l'action du cerveau et des muscles.

Ainsi, au lieu de consacrer tant d'heures à l'étude et aux livres, les travaux de la jeunesse doivent être variés et interrompus par des intervalles d'agréables exercices ; on les cherche avec avantage dans les jeux d'adresse qui demandent la coopération et la société de jeunes compagnons.

On peut aussi employer, dans l'éducation particulière, les jeunes

écoliers à des travaux manuels requérant de l'adresse et de l'inven-
tion, tel est l'art de charpenter, de tourner, tel est le labeur du jar-
dinage ; ce sont là des moyens préférables aux simples promenades,
parce que l'esprit prend part ici à l'activité du moment, dirige et
prescrit les mouvements qui, dans la promenade ordinaire, s'exécutent pour ainsi dire machinalement. On a toujours observé que les
mouvements musculaires sont difficiles et inefficaces quand l'esprit
qui doit les diriger languit absorbé dans une autre pensée. Les jeux,
les sauts variés des jeunes animaux s'exécutent au milieu de la joie et
en vertu d'un instinct qui les y provoque ; l'homme aussi obéit à
cette loi de son organisation. Pour rendre tous les mouvements pro-
fitables, il faut que le plaisir et l'heureuse vivacité de l'esprit y pré-
sident, et quand le mouvement n'est pas puisé à cette source, il perd
ses plus grands avantages. Le genre de vie et l'éducation des jeunes
garçons sont, sous ce dernier rapport, mieux entendus que celui des
jeunes filles ; la légèreté d'esprit et l'indépendance comparativement
plus grandes dont ils jouissent une fois hors de l'école, soustraient
bien mieux les écoliers que les jeunes filles à l'influence de toute
contrainte ; mais le tort que les deux classes d'enfants en éprouvent
encore pourrait être évité tout entier si l'attention du maître était
éveillée à cet égard. Chacun sait combien il est désagréable de marcher sans but, de se promener pour fatiguer ses muscles. Combien,
au contraire, ce mouvement devient facile quand on poursuit l'objet
d'une pensée. Pourquoi cette différence? C'est que, dans le premier
cas, l'impulsion nerveuse manque à l'action ; dans le second, l'impulsion est pleine et en harmonie avec l'opération des muscles ; de là l'active supériorité de ces jeux intelligents, de ces excursions botaniques
et géologiques, de tous autres jeux intéressant et excitant l'esprit en
même temps qu'ils occupent le corps. Il faut, toutefois, que ce soit
dans une mesure convenable, et si on ne dépasse pas le temps qu'on
emploierait à une promenade, sans aucun doute les forces musculaires en seront accrues convenablement.

Les mouvements faciles, l'éclat des yeux, la douce chaleur des en-

fants exercés, forment un parfait contraste avec l'aspect morne et
inanimé de ceux qui vivent dans la contrainte ; les résultats de conditions si diverses sur l'habitude extérieur ne sont pas moindres à
l'égard de la santé, et telle est, on peut le dire, la puissance de l'influx
nerveux que les vives émotions dont il est la source ont rendu spon-
tanément la vigueur et la vie à des membres paralytiques. Mais sans
aller prendre des exemples aussi rares et qui ne se rattachent pas
immédiatement aux principes de l'éducation physique, qui ne sait que
des personnes prêtes à tomber de fatigue retrouvent tout-à-coup
des forces nouvelles, s'il s'agit de danser ou de quelque divertissement
qui plaise à leur esprit ?

On raconte dans un journal anglais, qu'un médecin apporta à un
roi de l'Orient une raquette dont le manche contenait un remède, à
ce qu'il disait, assurant que ce moyen ne pouvait agir sur la personne
du prince qu'en passant par la paume de sa main pendant l'exercice
auquel il se livrerait ; il ajoutait que toutes les fois que la sueur vien-
drait, il fallait suspendre le jeu ; on aurait acquis par là une preuve
que le remède avait agi sur le système tout entier. L'ordonnance fut
exécutée à la lettre, l'effet fut merveilleux, le prince guérit. L'excitation cérébrale, la pensée d'une guérison ardemment désirée, mêlant
ainsi l'action du système nerveux à l'action musculaire, hâtaient les
résultats heureux de cette adroite médication. Sans doute cette petite
fable contient un enseignement puisé aux leçons mêmes de la nature
et mérite d'être citée comme une preuve des avantages qu'on obtient
en observant les règles de l'hygiène privée.

## Effet de l'exercice sur les muscles eux-mêmes.

Les muscles qui sont mis en activité reçoivent plus de sang arté-
riel, l'influx nerveux y est plus abondant, la nutrition s'y développe,

l'organe grossit ; mais si le mouvement dépasse certaines limites, la fatigue épuise les forces de la vie, la nutrition y languit et le muscle diminue. Il en est de même d'une main, d'un membre condamné à un repos trop absolu, à une fatigue dépassant les forces radicales des organes : l'atrophie s'en empare. Les membres se développent au contraire s'ils sont convenablement exercés.

On éprouve nettement le sentiment de ces diverses conditions. Si le mouvement musculaire a été rare, négligé, le corps languit, est pesant, sans force et incapable d'aucun devoir. Si l'exercice a été convenable, l'homme éprouve à agir un certain plaisir ; il se sent propre à accomplir ses devoirs moraux, ses travaux physiques. Est-il harassé par la fatigue, par un excès de labeur : il souffre, il est brisé, il ne peut même trouver le sommeil ; une sorte de courbature douloureuse s'est emparée de ses membres, et le repos ne la fait pas disparaître.

## Temps propre à l'exercice.

Tous les temps ne sont pas propres également à faire de l'exercice. Le matin, avant le déjeuner, le moment est favorable ; mais il ne faut pas attendre jusqu'à ce que le besoin de nourriture se fasse déjà sentir, car l'exercice use alors le reste des forces au lieu de les exciter. Il ne faut non plus que l'exercice se fasse trop immédiatement avant le repas ; la force vitale appelée à l'exécution des mouvements a déserté les viscères, et la digestion d'un repas copieux ne pourrait pas se faire. Un intervalle de repos entre le travail, entre les efforts musculaires et le repas, est toujours nécessaire. Il faut attendre, après la promenade ou un exercice violent, que l'on soit rendu à cet état de chaleur modérée et de calme dans lequel on était auparavant.

L'exercice, après un repas copieux, doit être évité pour des raisons pareilles, et l'aversion qu'éprouvent en général les gens faibles pour le travail, immédiatement après avoir mangé, prouve assez la justesse de notre remarque. Dans quelques familles et dans quelques institutions, on a coutume de faire exercer les enfants à la chute du jour seulement; on choisit l'instant où la lumière, déjà douteuse, ne permet plus l'étude dans l'intérieur des classes; on pense ainsi épargner le temps, mais c'est un funeste calcul : l'air du soir est plus humide et plus froid; l'heureuse influence de la lumière lui manque; et les enfants, en se livrant à leurs jeux tardifs, n'y puisent pas les éléments de la santé. En choisissant une heure de la matinée, on peut, si le temps n'était pas favorable, espérer pour le soir un meilleur moment; en choisissant la soirée habituellement, en cas de mauvais temps, la récréation du jour est perdue ; ainsi, dans les pensions de jeunes filles, des semaines entières se passent quelquefois sans récréation en plein air, parce que l'heure qu'on a consacrée à cet usage n'était pas favorable, et que la règle inflexible n'a pas permis d'en changer. On trouve encore cet avantage à choisir une des premières heures du jour, que l'application à l'étude après l'exercice, est plus forte et plus durable. Si l'exercice est renvoyé au soir, le besoin d'agir tourmente et inquiète les jeunes gens, l'application à l'étude en souffre.

---

## L'exercice en plein air est le plus salutaire.

---

L'exercice le plus salutaire est celui qui se prend en plein air et qui met en jeu, tout à la fois les facultés de l'esprit et la force musculaire ; mais les uns et les autres doivent tendre au même but. On ne retire pour les force du corps nul profit d'une promenade faite un livre à la main ; la pensée enraie le mouvement musculaire, le rend plus pénible et plus lent. Tandis que l'enfant qui lutte de vitesse avec un compagnon de son âge, celui qui engage à la fois ses forces et son adresse aux jeux de boules, de l'arc, à lancer une paume, un disque ou un palet, celui-là obtiendra de ce genre d'exercice les plus heureux résultats; la structure, la forme du corps se développent, et avec elles la grâce du port et du maintien.

Ces remarques s'appliquent à l'éducation des enfants des deux sexes; les mères se trompent quand elles enferment les poitrines de leurs filles dans des corsets, dans des étuis de baleines qui doivent conserver la rectitude de la taille; cette coutume ne sert qu'à les empêcher de se livrer en liberté aux exercices nécessaires au développement de leurs forces. Si on ajoute à cela la retraite plus sévère dans laquelle s'accomplit l'éducation des jeunes filles, et la faiblesse relativement plus grande de leurs muscles et de leur système nerveux, on ne s'étonnera pas que des procédés si contraires au vœu de l'organisation, produisent si fréquemment l'incurvation de l'épine dorsale; si chez les jeunes garçons cette incurvation est rare, il faut l'expliquer par la différence d'abord dans la structure osseuse et la force musculaire, mais ensuite et surtout par la différence de leurs études et la liberté de leurs jeux. Comme les jeunes filles, ils ne sont point condamnés à rester devant un piano à perfectionner un morceau de musique, ou, l'aiguille à la main, consumer des mois entiers à confectionner un petit chef-d'œuvre de tapisserie. J'assure, et l'expérience est d'accord avec mon assertion, qu'après deux ans d'un tel régime, il n'est pas de jeune fille qui ne soit atteinte d'une déformation de l'épine dorsale.

## Des exercices propres à favoriser le mouvement des muscles.

Les exercices divers ne conviennent pas tous indifféremment à tous les sujets, aussi la *gymnastique* qui soi-disant est l'art de les varier à propos, doit-elle faire toutes ses réserves.

A notre point de vue, la gymnastique est conçue dans l'intérêt des sujets robustes, pleins de santé; elle augmente leur force et leur adresse; mais les enfants faibles et qui croissent beaucoup en éprouveraient de mauvais effets, leurs forces en seraient épuisées. Il faut à ceux-ci, comme à ceux qui sont atteints de quelque imperfection physique, la kinésithérapie ou gymnastique spéciale, se composant d'exercices et de moyens adoptés aux circonstances.

Cette autre gymnastique a besoin d'un homme habile, instruit des lois de l'organisation, qui puisse choisir les moyens, en inventer même qui soient applicables aux affections diverses qui se présentent.

L'exercice trop violent peut être funeste. Galien, dans son discours sur Trasybule, signale le danger de ces luttes forcées dont les athlètes donnaient le spectacle. La maladie du cœur, les affections anévrismales dans le jeune âge reconnaissent pour cause ces violences. Un jour de fatigue excessive peut interrompre l'accroissement et perdre la santé à tout jamais. Il y a un point dans l'exercice qu'il ne faut pas excéder, c'est celui qui accroit la force et la nutrition en même temps; au-delà de ce point tout est mal; l'un tombe par cet excès dans une incurable débilité, l'autre précipite son développement et s'expose à la consomption.

La simple promenade à pied fortifie les reins et les membres inférieurs, mais elle est peu profitable aux bras et aux muscles du tronc, elle suffit à ceux qu'un travail manuel retient à la maison et dont les bras sont d'ailleurs suffisamment exercés. C'est une heureuse idée que de combiner les excursions pédestres avec les recherches botaniques et géologiques. L'action du corps se mêle ici à celle de l'esprit; celui-ci en devient plus fort, quand plus tard il agit d'une manière plus indépendante. Les courses sur la montagne et les lieux élevés sont salutaires dans la belle saison, mais elles doivent être proportionnées à la force et la constitution des sujets; de trop longs voyages épuisent ceux qui sont faibles et qui grandissent trop rapidement; c'est ce qui explique la mortalité des jeunes soldats dont la crue n'est pas terminée, ils meurent en grand nombre quand ils sont exposés à de fortes marches, et surtout mal nourris. Pour développer les bras et le tronc, on peut s'exercer à conduire un bateau avec les rames; l'escrime aussi entraîne le développement du tronc et de la poitrine, mais le jeu des armes excite, il faut en modérer l'action dans la crainte d'éprouver les effets d'efforts et de mouvements exagérés qui produisent souvent des courbures de la colonne vertébrale. Le volant et la paume sont des jeux convenables aux enfants des deux sexes. D'abord, on joue en plein air, et on exerce les deux bras; cette dernière circonstance, surtout, est propre à maintenir la rectitude de l'épine dorsale, les muscles du dos se fortifient. Forcé de courir à la rencontre de la paume ou du volant, le joueur court et s'élance avec prestesse dans diverses directions, le tronc s'incline et se balance sur les reins qui deviennent plus souples et plus forts. Nous tenons la danse pour un moyen de gymnastique heureux, propre à fortifier le système tout entier des forces motrices, mais souvent c'est dans l'intérieur de la maison, c'est dans l'air étouffé des salons, c'est à des heures indues et que réclament le repos et l'habitude qu'il faut s'y livrer; ces circonstances détruisent l'heureux effet qu'on peut en obtenir, et sans la musique qui excite puissamment le système nerveux dont l'action se réfléchit sur les muscles, la danse serait, nous osons l'affirmer, un exercice dont la fatigue égalerait l'insipidité. L'équitation est plus favorable que l'exercice à pied. Son premier avantage est de ne pas fatiguer la respiration; tous les muscles sont en jeu et l'esprit légèrement occupé de gouverner le noble animal; le contact de l'air, le changement rapide de scène, réjouissent la pensée. Même dans une promenade au pas, il y a action constante de tous les muscles pour maintenir le cavalier en équilibre et en harmonie avec les mouvements de son cheval. On peut regarder la lecture à haute voix, la déclamation comme moyen propre à fortifier les muscles du thorax, ceux du larynx, et l'appareil de la respiration lui-même, secondairement à cette action, les muscles de l'abdomen, l'estomac et les viscères du ventre sont entraînés dans une sorte d'oscillation continue, et si la parole est émise avec véhémence, comme il arrive aux prédicateurs et

aux autres orateurs, la fatigue corporelle en est très prononcée. Les effets de cet exercice sont salutaires au plus haut degré. Cuvier croyait lui devoir d'avoir pu éviter la phthisie, mais on conçoit qu'il s'agit ici, plus encore que dans tout autre exercice, de savoir éviter l'excès; une poitrine fatiguée jusqu'à l'enrouement, jusqu'à l'hémophtysie, comme il arrive parfois à des jeunes filles consacrées à l'enseignement, serait dangereusement compromise par la continuation des mêmes efforts. Les jeux les plus convenables sont ceux qui unissent à l'action des muscles l'excitation de la pensée et l'usage limité de la voix, et tel est l'instinct de ces jeux que la jeunesse y engage tous les moments de liberté que lui laisse l'étude. Nous savons qu'absorbés par leurs pensées et oubliant les goûts de leur enfance, les hommes faits abhorent les jeux bruyants et le tapage qui les suit; ils imposent silence à leurs enfants, ignorant que c'est là une des lois dont on ne peut comprimer l'effet sans nuire en même temps à un ordre d'organes qu'il est utile au contraire d'aider et de développer.

## Système osseux.

Si les muscles sont les organes du mouvement, les os en sont les instruments passifs, leur solidité semble les mettre hors de l'atteinte des moyens employés à l'éducation physique de l'homme; mais ce n'est là qu'une illusion que dissipe le premier coup d'œil jeté sur les nombreuses altérations qu'ils sont exposés à subir dans le développement des premières périodes de l'âge. Il est donc utile de les examiner à la suite des muscles eux-mêmes et de rechercher par quels moyens on peut aider la nature dans ses efforts pour leur développement normal et pour les rendre aptes à l'exécution des divers services auxquels ils sont appelés.

Les os ont dans l'organisation des fonctions diverses; les uns forment des cavités à parois solides dans lesquelles les organes sont logés et protégés, tels sont les os du crâne qui mettent le cerveau à l'abri des corps étrangers ; tels sont les os de la face qui protègent le globe de l'œil, les organes de l'ouïe et de l'odorat ; tels sont ceux du bassin où reposent en sûreté une partie des intestins et d'autres appareils. Quelques os, tout en formant des cavités protectrices, concourent déjà par la mobilité de leurs articulations aux mouvements du corps, tels sont les vertèbres, dont la série compose l'épine dorsale ; celle-ci est destinée à enfermer profondément et loin de toute violence extérieure le gros cordon médulaire qu'on nomme la moëlle épinière, et c'est à sa flexibilité cependant que le tronc emprunte ses diverses inflexions. Les côtes qui s'attachent aux vertèbres du dos défendent aussi le cœur et les poumons, tout en se prêtant aux mouvements alternatifs de l'aspiration et de l'expiration de l'air. Voilà ce qui concerne les os destinés aux cavités viscérales. Les autres sont des colonnes de sustentation, des leviers plus ou moins grands qui ont pour but de soutenir le tronc, d'exécuter sous l'influence des muscles auxquels ils obéissent, tous les actes de locomotion, toute la série des mouvements que l'intelligence humaine demande à la force ou à l'adresse.

Telle est la condition du système osseux dans l'organisme : composé d'une série de pièces réunies et juxtaposées, on peut le comparer à un édifice dont la rectitude et la grâce dépendent des justes proportions, de la régularité des assises et des appuis solides sur lesquels il s'élève. Qu'une seule partie soit altérée dans ses dimensions ou ses formes, il en résultera, non point une difformité locale, mais une déviation dans tout le système ; la pureté des lignes en sera altérée, et l'édifice entier révèlera la disgrâce d'un vice de construction. Ainsi dans le corps humain il suffit qu'un seul os, un os de la jambe ou du pied, soit arrêté dans son développement et demeure plus petit qu'il ne doit être, pour que la hanche du même côté s'incline et que l'épine dorsale soit entraînée dans une incurvation défectueuse ; et c'est là, pour le dire en passant, une cause fréquente et souvent ignorée qui provoque dans l'épine dorsale des incurvations rebelles à tout moyen de traitement; il faut que le secret de la difformité soit découvert et la cause éloignée en rétablissant l'égalité des membres, pour obtenir une guérison jusque-là vainement demandée.

L'accroissement trop rapide, dont quelques enfants sont saisis, est au premier rang parmi les causes qui produisent la mollesse et la faiblesse des os; et les jeunes filles surtout qui grandissent vite sont aussi plus que les autres exposées aux courbures de l'épine par cette cause qui exprime aussi une sorte d'altération dans les lois de la nutrition. La déviation de l'épine dorsale n'est point une difformité simple, elle est toujours complexe; la poitrine et le bassin sont formés par des os attachés à la colonne vertébrale; quand celle-ci devient difforme, ces cavités viscérales deviennent irrégulières, la poitrine surtout; le cœur et les poumons sont gênés dans leur action, et le sang qui est le produit de ces organes est imparfaitement élaboré.

De là, chez les jeunes filles, la chlorose ou les pâles couleurs, les rhumes opiniâtres, les hémophtysies, la suppression des règles, et toutes sortes de malaises, cortège ordinaire d'une vie valétudinaire.

Dans ce tableau rien n'est exagéré, on doit donc dans l'âge du développement prévenir tout ce qui peut nuire aux formes des os, aux rapports qu'ils ont entre eux, tout ce qui peut altérer la parfaite égalité entre les parties similaires. Ces altérations commencent dans le jeune âge, une mauvaise éducation physique les développe; une fois l'époque de l'accroissement accomplie, le mal est sans remède, le tissu osseux a pris une solidité qui laisse peu d'espoir d'agir sur lui, et les surfaces articulaires étant vicieusement établies, toute espèce de restauration devient impossible, ou du moins incomplète. Tout, au contraire, dans l'enfance favorisera les moyens que l'on peut employer; les membres, l'épine dorsale, se laissent ramener avec docilité à leur rectitude ordinaire, les surfaces qui s'étaient éloignées de leurs rapports naturels se laissent plus facilement réduire, et dans la condition normale, la force d'accroissement, qui d'abord était arrêtée, reprend toute son activité, et le développement se fait d'une manière égale.

Nous pouvons citer le pied-bot pour exemple : tant que l'infirmité persiste, la jambe s'atrophie ; si le pied est ramené à sa condition normale, les muscles de la jambe prennent de la nourriture et le membre se développe.

Les enfants atteints de la luxation congéniale du fémur ont une cuisse plus courte que l'autre, indépendamment de la différence qui dépend du déplacement ; le défaut d'égalité persiste donc en partie après la réduction, si la réduction est faite tardivement ; tandis que si elle est opérée à une époque où le sujet peut croître et grandir longtemps encore, l'inégalité s'effacera insensiblement.

Ce ne sont pas toujours des vices de conformation originelle, des luxations congéniales que l'art a à reformer dans la structure du squelette ; s'il en était ainsi, nous n'aurions rien à dire du système osseux dans ce travail ; mais les erreurs d'un mauvais système d'éducation exposent aussi les membres à des altérations diverses ; le défaut de mouvement et d'exercice convenable altère leur structure et leur consistance. La courbure de l'épine et la déformation du tronc résultent de la contrainte et de la condamnation à une même attitude trop longtemps soutenue, en vertu des exigences de l'éducation.

Comme les autres organes, les os n'appellent dans leur structure intime le sang et la nutrition que par l'action et le mouvement. C'est une remarque que nous signalons, non seulement aux parents, mais encore à toutes les personnes consacrées à l'éducation de l'enfance.

Universelle dans son application, cette loi ne manque point au système osseux. De l'exercice résultent pour les os, accroissement, force et solidité ; de l'inaction résultent débilité, mollesse, inaptitude ; mais ce n'est pas toujours par un défaut d'exercice que les os sont privés des matériaux nécessaires à leur solidité.

Chez les pauvres, ce sont les mauvais aliments, les habitations humides qui influent sur eux d'une manière aussi fâcheuse. Chez les sujets à l'abri de toute privation, c'est la faiblesse des forces digestives, une diète trop délicate, peu substantielle, des erreurs dans le vestiaire consacré par la folie de la mode, qui ensevelit la peau des enfants sous la laine et le duvet, ou qui les laisse souffrir de la rigueur du froid, par un excès contraire; c'est encore le défaut d'air libre, vif, et les précautions excessives prises, en vertu d'une prétendue susceptibilité.

La nouure, le ramollissement osseux, les tumeurs blanches sont le partage des enfants de toutes les classes qu'on a trop longtemps retenus dans ces mauvaises conditions.

Tout en obéissant aux lois de l'hygiène, il faut encore savoir user de l'action du système osseux. La question est de bien déterminer quand on peut sans danger demander le service auquel la nature les a destinés. Dans l'enfance les os sont encore mous, flexibles, cartilagineux, dans certains points abondants en vaisseaux sanguins; la faculté de croître existe en eux à un haut degré; mais ils ont peu de mouvements énergiques à accomplir; ils n'ont pas en eux le pouvoir d'une résistance. Il y a donc danger à exciter les enfants à marcher de trop bonne heure, la courbure, l'inflexion vicieuse des os en seraient le résultat; les os de la jambe se plient vers le tiers inférieur, les os des cuisses se courbent en dedans comme un arc tendu par ses deux extrémités et les muscles qui enveloppent le fémur subissent des altérations diverses. A cet âge, les muscles aussi sont trop faibles pour lutter énergiquement contre les lois de la gravitation, ils permettent au tronc des attitudes et une inclinaison vicieuses d'où résulterait la courbure de l'épine dorsale. Les lisières qui viennent au secours de la faiblesse du système locomoteur sont nuisibles; d'abord elles compriment et déforment le thorax, gênent les mouvements de la respiration.

En maintenant forcément le corps dans une situation droite, elles chargent l'épine dorsale et les membres pelviens d'un poids supérieur à ce qu'ils peuvent porter, la déformation du thorax, la gêne des poumons, la distorsion de l'épine, la courbure vicieuse des jambes se montrent comme la conséquence fatale de ce pernicieux usage. D'après ce que nous avons dit des effets de l'exercice à l'égard des muscles et des os, il est évident qu'on espérerait vainement fortifier le système osseux locomoteur par l'immobilité, en emprisonnant le tronc dans des corsets ou en maintenant le sujet pendant plusieurs heures sur un plan incliné ou horizontal. Ce dernier moyen peut être utile chez des jeunes filles délicates et qui grandissent, mais seulement après l'exercice et lorsque le sentiment de la fatigue qui en résulte se fait sentir; mais dès que le repos l'aura dissipée, ce moyen doit être rejeté. Jamais on ne doit le mettre en usage sans que la fatigue préalable ne l'ait rendu nécessaire; et jamais on ne doit l'employer soit pendant des heures ou des jours entiers comme moyen, ainsi qu'on a eu tort de le croire, propre à développer la puissance et la force du système locomoteur.

---

### INCESSAMMENT NOUS PUBLIERONS :

## LA KINÉSITHERAPIE

*Seul moyen rationnel de redresser les différentes courbures de la colonne vertébrale.*

---

# De l'Application de la Kinésithérapie

### DANS LE TRAITEMENT DES MALADIES CHRONIQUES

Paris. — Typ. Augros, pass. du Caire, 87-89.

www.ingramcontent.com/pod-product-compliance
Lightning Source LLC
Chambersburg PA
CBHW070221200326
41520CB00018B/5737